中华人民共和国住房和城乡建设部

房屋建筑和市政基础设施工程勘察文件编制深度规定

(2010 年版)

中国建筑工业出版社

房屋建筑和市政基础设施工程勘察文件编制深度规定

（2010年版）

住房和城乡建设部工程质量安全监管司　组织编写

*

中国建筑工业出版社出版、发行（北京西郊百万庄）

各地新华书店、建筑书店经销

霸州市顺浩图文科技发展有限公司制版

北京京丰印刷厂印刷

*

开本：850×1168毫米　1/32　印张：2¼　字数：60千字

2011年1月第一版　2011年5月第四次印刷

定价：**9.00**元

统一书号：15112・20200

本社网址：http://www.cabp.com.cn

网上书店：http://www.china-building.com.cn

住房和城乡建设部文件

建质［2010］215号

关于发布《房屋建筑和市政基础设施工程勘察文件编制深度规定》（2010年版）的通知

各省、自治区住房和城乡建设厅，直辖市建委（规划委、建交委），新疆生产建设兵团建设局：

为进一步贯彻《建设工程质量管理条例》和《建设工程勘察设计管理条例》，确保房屋建筑和市政基础设施工程勘察质量，我部组织建设综合勘察研究设计院（主编）等单位编制了《房屋建筑和市政基础设施工程勘察文件编制深度规定》（2010年版），经审查，现批准发布，自2011年1月1日起施行。原《建筑工程勘察文件编制深度规定》（试行）同时废止。

中华人民共和国住房和城乡建设部

二〇一〇年十二月二十日

前　言

本规定由《建筑工程勘察文件编制深度规定》（试行）修订而成。本次修订增加了市政工程和城市轨道交通工程的内容，并更名为《房屋建筑和市政基础设施工程勘察文件编制深度规定》。本规定的实施，为进一步贯彻《建设工程质量管理条例》和《建设工程勘察设计管理条例》，确保岩土工程勘察质量，统一勘察文件编制深度提供了依据。

本规定所要求的编制深度，是详细勘察阶段勘察文件编制的一个基本要求，勘察单位可以根据各地条件和任务需要，适当增加勘察文件的编制深度要求，确保勘察质量。

本规定由住房和城乡建设部批准，由建设综合勘察研究设计院有限公司负责具体解释。

本规定主编单位为建设综合勘察研究设计院有限公司，参编单位为北京市勘察设计研究院有限公司、上海岩土工程勘察设计研究院有限公司、西北综合勘察设计研究院、中国建筑西南勘察设计研究院有限公司、中国市政工程西北设计研究院、机械工业勘察设计研究院、中航勘察设计研究院有限公司、北京城建勘测设计研究院有限责任公司、天津市勘察院、福建省建筑设计研究院、深圳市勘察研究院、中兵勘察设计研究院、合肥工业大学建筑设计研究院、中国有色金属工业昆明勘察设计研究院、中国有色金属工业长沙勘察设计研究院、广州地铁设计研究院有限公司、重庆市建设工程勘察质量监督站、武汉精诚土木建筑工程设计审查有限公司、山东省建设工程勘察质量监督站、青岛市勘察测绘研究院、深圳市岩土综合勘察设计有限公司。

本规定起草人：

主　编：郭明田

编　委：（按姓氏笔画排列）

王殿斌	化建新	冯世清	乔　社	华遵孟
全科政	刘小敏	刘文连	刘红卫	许丽萍
苏　强	李耀刚	杨俊峰	吴永红	吴炳涛
吴铭炳	何　平	何仕英	宋榜慈	张建青
张荣成	武　威	郑建国	顾宝和	徐张建
高文新	郭书泰	曾昭建	温　靖	谢　明

目　次

1 总 则

1.0.1 为贯彻《建设工程质量管理条例》和《建设工程勘察设计管理条例》，统一勘察文件编制深度，确保岩土工程勘察质量和工程安全，保护环境，提高建设项目的投资效益，编制本规定。

1.0.2 本规定所指勘察文件，主要指岩土工程勘察纲要、勘察报告及相关的专题报告。

1.0.3 本规定适用于房屋建筑工程、市政工程和城市轨道交通工程勘察文件编制。

1.0.4 勘察文件编制应根据不同勘察阶段要求进行。本规定主要对详细勘察阶段的勘察文件编制深度做出规定，其他阶段的勘察文件编制可参照执行。

1.0.5 勘察文件的编制，除应符合本规定外，尚应满足现行相关技术标准的要求，严格执行《工程建设标准强制性条文》的规定。

2 基本规定

2.0.1 岩土工程勘察文件应根据工程与场地情况、设计要求确定执行的现行技术标准编制。同一部分内容涉及多个技术标准时，应在相应部分进一步明确依据的技术标准。

2.0.2 岩土工程勘察实施前应编制勘察纲要。

2.0.3 岩土工程勘察报告应通过对原始资料的整理、检查和分析，正确反映场地工程地质条件、查明不良地质作用和地质灾害，做到资料完整、评价正确、建议合理。

2.0.4 勘察报告应根据工程特点和设计提出的技术要求编写，应有明确的针对性，详细勘察报告应满足施工图设计的要求。

2.0.5 勘察报告签章应符合下列要求：

1 勘察报告应有完成单位公章，法定代表人、单位技术负责人签章，项目负责人、审核人等相关责任人姓名（打印）及签章，并根据注册执业规定加盖注册章；

2 图表应有完成人、检查人或审核人签字；

3 各种室内试验和原位测试，其成果应有试验人、检查人或审核人签字；

4 当测试、试验项目委托其他单位完成时，受托单位提交的成果还应有该单位印章及责任人签章；

5 其他签章管理要求。

2.0.6 勘察文件的文字、标点、术语、代号、符号、数字和计量单位均应符合有关规范、标准。

2.0.7 勘察报告主要由文字部分与图表组成，必要时可增加附件。

2.0.8 岩土工程勘察报告文字部分应包括下列内容：

1 工程与勘察工作概况；

2　场地环境与工程地质条件；

3　岩土参数统计；

4　岩土工程分析评价；

5　结论与建议。

2.0.9　勘察报告文字部分幅面宜采用 A3 或 A4，篇幅较大时可分册装订。装订内容应符合下列要求：

1　封面及扉页：标明勘察报告名称、勘察阶段、单位资质等级及编号、相关责任人签章、编写单位、提交日期等；

2　目次；

3　文字部分；

4　图表；

5　附件（必要时）。

3 勘察纲要

3.0.1 勘察纲要应在充分搜集、分析已有资料和现场踏勘的基础上，依据勘察目的、任务和相应技术标准的要求，针对拟建工程的特点编写。

3.0.2 勘察纲要应合理确定执行的技术标准，当合同、协议、招标文件有要求时，应满足约定的技术标准。

3.0.3 勘察纲要由文字部分与图表构成。

3.0.4 勘察纲要的文字部分宜包括下列内容：

1 工程概况；

2 概述拟建场地环境、工程地质条件；

3 勘察任务要求及需解决的主要技术问题；

4 执行的技术标准；

5 选用的勘探方法；

6 勘探工作量布置；

7 勘探孔（槽、井、洞）回填；

8 拟采取的质量控制、安全保证和环境保护措施；

9 拟投入的仪器设备、人员安排、勘察进度计划等。

3.0.5 拟定的勘察工程量应包括下列内容：

1 钻探（井探、槽探等）间距、深度、数量；

2 地球物理勘探、原位测试的种类、方法、深度或间距、数量；

3 取样器、取样方法选择，取岩、土样间距和水试样数量及贮存、运输要求；

4 室内岩、土（水）试验内容、方法、数量；

5 需要进行工程地质测绘和调查时，应明确测绘范围、比例尺、测绘方法。

3.0.6 勘察纲要应附拟建工程勘探点平面布置图。需要时，可附勘探及原位测试、室内岩土、水试验计划表等。

3.0.7 当场地情况变化大或设计方案变更等原因，拟定勘察工作不能满足要求时，应及时调整勘察纲要或编制补充勘察纲要。

3.0.8 勘察纲要及其变更应按质量管理程序审批，由相关责任人签署。

4　房屋建筑工程

4.1　一般规定

4.1.1　房屋建筑工程一般称建筑工程，包括房屋建筑物及附属构筑物。

4.1.2　房屋建筑工程勘察报告应充分体现工程特点，内容应符合本章要求。

4.2　工程与勘察工作概况

4.2.1　工程与勘察工作概况应包括下列内容：

1　拟建工程概况；

2　勘察目的、任务要求和依据的技术标准；

3　岩土工程勘察等级；

4　勘察方法及勘察工作完成情况；

5　其他必要的说明。

4.2.2　拟建工程概况应叙述工程名称、委托单位名称、勘察阶段、工程位置、层数（地上和地下）或高度，拟采用的结构类型、基础型式、埋置深度。当设计条件已经明确时，应叙述设计室内外地面标高、荷载条件、拟采用的地基和基础方案、大面积地面荷载、沉降及差异沉降的限制、振动荷载及振幅的限制等。

4.2.3　勘察目的、任务要求和依据的技术标准应以现行技术标准为依据，并满足勘察任务委托书或勘察合同的要求。

4.2.4　勘察方法及勘察工作完成情况应包括下列内容：

1　工程地质测绘或调查的范围、面积、比例尺以及测绘、调查的方法；

2　勘探点的布置、勘探设备和方法及完成工作量；

3　原位测试的种类、数量、方法；

4　采用的取样器和取样方法，取样（土样、岩样和水样）数量；

5　岩土室内试验和水（土）腐蚀性分析的完成情况；

6　勘探孔（井、槽等）回填情况；

7　引用已有资料情况；

8　勘探点测放依据；

9　协作、分包单位的说明；

10　其他问题说明。

4.3　场地环境与工程地质条件

4.3.1　场地环境与工程地质条件主要包括以下内容：

1　根据工程需要叙述气象和水文情况；

2　根据工程需要叙述区域地质构造情况；

3　场地地形、地貌；

4　不良地质作用及地质灾害的种类、分布、发育程度；

5　场地各层岩土的年代、类型、成因、分布、工程特性，岩层的产状、岩体结构和风化情况；

6　埋藏的河道、浜沟、池塘、墓穴、防空洞、孤石及溶洞等对工程不利的埋藏物的特征、分布；

7　地下水和地表水。

4.3.2　土的分类与描述应在现场记录的基础上，结合室内试验的开土记录和试验结果综合确定。岩土描述应符合相关标准要求。

4.3.3　场地地下水和地表水的描述应包括下列内容：

1　勘察时的地下水位、地下水的类型及其动态变化幅度；

2　地下水的补给、径流和排泄条件，地表水与地下水的补排关系，是否存在对地下水和地表水的污染源，是否污染及污染程度等；

3　必要的水文地质实验成果和水文地质参数；

4　对多层地下水应分层描述，并描述含水层之间是否存在水力联系等；

5　对工程有影响的地表水情况；

6　历史最高水位，近3～5年最高地下水位调查成果。

4.4　岩土参数统计

4.4.1　岩土参数统计应根据钻孔（探井）记录、工程地质测绘和调查资料、室内试验和原位测试成果，对不同工程地质单元、进行工程地质分区及岩土分层。当分层统计指标变异系数超过规定标准时，应分析原因，必要时调整工程地质单元、岩土层划分、统计指标样本数量并重新统计。

4.4.2　统计参数应根据岩土工程评价需要选取，宜包括下列内容：

1　岩土的天然密度、天然含水量；

2　粉土、黏性土的孔隙比；

3　黏性土的液限、塑限、液性指数和塑性指数；

4　土的压缩性、抗剪强度等力学特征指标；

5　岩石的密度、软化系数、吸水率、单轴抗压强度；

6　特殊性岩土的特征指标；

7　静力触探的比贯入阻力或锥尖阻力、侧壁摩阻力，标准贯入试验和圆锥动力触探试验的锤击数及其他原位测试指标；

8　其他必要的岩土指标。

4.4.3　岩土参数统计应符合所依据的技术标准，并符合下列要求：

1　岩土的物理力学性质指标，应按岩土单元分层统计；

2　应提供岩土参数的统计个数，平均值、最小值、最大值；

3　岩土层的主要测试指标（包括孔隙比、压缩模量、黏聚力、内摩擦角、标准贯入试验锤击数、圆锥动力触探锤击数、岩石抗压强度等）应提供统计个数、平均值、最小值、最大值、标准差、变异系数等；

4 必要时提供参数建议值。

4.5 岩土工程分析评价

4.5.1 勘察报告应在工程地质测绘、勘探、测试及搜集已有资料的基础上，结合工程特点和要求进行岩土工程分析评价，提供设计与施工所需的岩土参数。

4.5.2 岩土工程分析评价应包括下列内容：

1 场地稳定性、适宜性评价；

2 特殊性岩土评价（本规定第7章）；

3 地下水和地表水评价；

4 岩土工程参数分析；

5 地基基础方案分析；

6 根据工程需要进行基坑工程分析；

7 其他岩土工程相关问题的分析、评价。

4.5.3 场地稳定性、适宜性评价应包括下列内容：

1 不良地质作用和地质灾害、边坡的影响（本规定第7章）；

2 场地地震效应影响（本规定第8章）；

3 工程建设场地适宜性。

4.5.4 地下水和地表水评价应包括下列内容：

1 分析评价地下水（土）和地表水对建筑材料的腐蚀性；

2 分析地下水对建设工程的影响，提供水文地质参数，提出相应的地下水控制措施的建议。

3 评价地表水与地下水的相互作用，地表水对工程建设的影响，存在抗浮问题时进行抗浮评价，提出相应的技术控制措施及建议；

4 工程需要时评价工程建设对原有水文地质条件（地表水、地下水径流条件改变）的影响。

5 当场地水文地质条件复杂，且对地基评价、基础抗浮和地下水控制有重大影响，常规岩土工程勘察难以满足设计施工要求时，应建议进行专门的水文地质勘察。

4.5.5 根据岩土参数统计成果，结合地区性工程经验，对场地地基的岩土参数进行分析评价，必要时提供建议值。

4.5.6 地基基础分析评价应在充分了解拟建工程的设计条件前提下，根据建筑场地工程地质条件，结合工程经验，考虑施工条件对周边环境的影响、材料供应以及地区工程抗震设防烈度等因素，对天然地基、桩基础和地基处理进行评价，提出安全可靠、技术可行、经济合理的一种或几种地基基础方案建议。

4.5.7 天然地基评价应包括下列内容：

1 采用天然地基的可行性；

2 天然地基均匀性评价；

3 建议天然地基持力层；

4 提供地基承载力；

5 存在软弱下卧层时，提供验算软弱下卧层计算参数，必要时进行下卧层强度验算；

6 需进行地基变形计算时，提供变形计算参数。

4.5.8 桩基础评价应包括下列内容：

1 采用桩基的适宜性；

2 可选的桩基类型、桩端持力层建议；

3 桩基设计及施工所需的岩土参数；

4 对欠固结土及有大面积堆载、回填土、自重湿陷性黄土等工程，分析桩侧产生负摩阻力的可能性及其影响；

5 需要抗浮的工程，应提供抗浮设计岩土参数；

6 分析成桩可行性、挤土效应、桩基施工对环境的影响以及设计、施工应注意的问题等内容。

4.5.9 地基处理评价应包括下列内容：

1 地基处理的必要性、处理方法的适宜性；

2 地基处理方法、范围的建议；

3 根据建议的地基处理方案，提供地基处理设计和施工所需的岩土参数；

4 评价地基处理对环境的影响；

5 提出地基处理设计施工注意事项建议；

6 提出地基处理试验、检测的建议。

4.5.10 基坑工程的分析评价应包括下列内容：

1 阐述基坑周围岩土条件、周围环境概况及基坑安全等级；

2 提供岩土的重度和抗剪强度指标，说明抗剪强度的试验方法；

3 分析基坑施工与周围环境的相互影响；

4 提出基坑开挖与支护方案的建议；

5 基坑开挖需进行地下水控制时，提出地下水控制所需水文地质参数及防治措施建议；

6 提出施工阶段的环境保护和监测工作建议。

4.6 结论与建议

4.6.1 结论与建议应有明确的针对性，并包括下列内容：

1 岩土工程评价的重要结论的简明阐述；

2 工程设计施工应注意的问题；

3 工程施工对环境的影响及防治措施的建议；

4 其他相关问题及处置建议。

4.6.2 岩土工程评价的重要结论应包括下列内容：

1 场地稳定性评价；

2 场地适宜性评价；

3 场地地震效应评价；

4 土和水对建筑材料的腐蚀性；

5 地基基础方案的建议；

6 基坑支护措施的建议（需要时）；

7 地下水控制措施的建议（需要时）；
8 季节性冻土地区场地土的标准冻结深度；
9 其他重要结论。

5 市政工程

5.1 一般规定

5.1.1 市政工程包括城市道路、桥涵、室外管线、城市堤岸、给水排水厂站工程、垃圾填埋场等。

5.1.2 市政工程勘察报告内容应符合本章要求，体现市政工程特点。本章未具体说明的，参照第4章执行。

5.1.3 场地地质条件复杂或线路较长的城市道路、室外管线、城市堤岸勘察报告可分段编写。

5.2 工程与勘察工作概况

5.2.1 工程与勘察工作概况包括下列内容：

1 拟建工程概况；

2 勘察目的、任务要求和依据的技术标准；

3 岩土工程勘察等级；

4 勘察方法及勘察工作完成情况；

5 其他必要的说明。

5.2.2 拟建工程概况应叙述工程名称、委托单位名称、勘察阶段、工程类别、特点、场地位置、地面条件、基础型式、埋深、初步拟定的施工方法等。

5.2.3 市政工程概况尚需根据其工程特点叙述下列内容：

1 城市道路工程包括道路的起止位置（坐标、里程）、与其他路网连接关系、道路长度与路幅宽度、道路等级、路面设计标高、沿线桥涵穿（跨）越形式和主要支挡构筑物位置等；

2 桥涵工程包括拟定的桥梁长度、宽度、等级、跨径、荷载情况、结构形式以及墩台拟采取的基础型式、埋深等；

3 室外管线工程包括管线的起止位置（坐标、里程）、与其他管网连接关系、设计长度、管道类型、管材、管径以及穿越铁道、公路、河谷的位置、埋设深度和方式等；

4 堤岸工程包括堤岸起止位置（坐标、里程）顶面设计标高、各段堤岸的结构类型、采取的基础型式、埋置深度等；

5 垃圾填埋工程包括垃圾类型、主要成分、处理方式、处理总量及日处理量，填埋场库区结构、坝型及坝高，建（构）筑物结构、荷载、基础类型及埋深、防渗结构变形要求、使用年限等。

5.2.4 勘察目的、任务要求和依据的技术标准应符合本规定4.2.3条要求。

5.2.5 勘察方法及勘察工作完成情况应符合本规定4.2.4条要求。

5.3 场地环境与工程地质条件

5.3.1 场地环境与工程地质条件的内容应符合本规定4.3节的要求，并重点阐述以下内容：

1 沉井基础、顶管法施工的管道工程，应描述碎石土最大粒径及其含量；

2 河流、河谷地区尚应叙述历史洪水位；

5.4 岩土参数统计

5.4.1 岩土参数统计应符合本规定4.4节要求，具体统计参数应根据工程特点及依据的技术标准确定。

5.5 岩土工程分析评价

5.5.1 市政工程岩土工程分析评价应符合本规定4.5节及本节要求。

5.5.2 市政工程应根据不同地质单元及工程类型分段评价。

5.5.3 应重点评价影响市政工程稳定的不良地质作用和可能产生沉陷、液化、湿陷、融陷或胀缩等变形的特殊性岩土。

5.5.4 城市道路工程的分析评价尚应包括下列内容：

1 根据拟建道路沿线工程地质条件，包括湿陷性黄土、软土、松散填土、膨胀土、冻土、可能产生地震液化的土层等特殊路基的分布厚度和工程性质，提供必要的岩土参数和处理措施建议；

2 根据沿线各段的地表水来源和排水条件，地下水类型与水位变化幅度，分析地表水和地下水对路基稳定性的影响。

3 划分路基干湿类型；

4 滨河道路或穿越河流、沟谷的道路，应分析浸泡冲刷作用对路堤的影响，对路基稳定性进行分析，提供路堤边坡稳定性验算参数，并提出处理措施建议；

5 填方路段应对路基填筑可用材料质量及开采运输条件作出评价，并提出料场选择、材料击实性指标、填筑压实质量控制措施建议；

6 高填路基应提供路基稳定性分析计算参数，软土地区的高填路堤应提供路基变形计算的参数；

7 斜坡路基及深挖路堑地段，应提供边坡稳定性验算参数。必要时验算边坡稳定性并提出支挡方式或开挖放坡的建议。

5.5.5 桥涵工程的分析评价尚应包括下列内容：

1 通过分析桥位的周边建筑物分布、地形地貌、水文与地质条件及岸坡的不良地质作用，评价桥址的适宜性和桥台、岸坡的稳定性；

2 根据任务要求提供跨河桥水文资料、河床冲刷情况及河床物质组成；

3 根据地层岩性分布、河床冲淤变化趋势、地下水埋藏条件以及地基岩土的工程性质，并根据地基土冻胀深度，提出基础埋置深度和持力层选择建议，提供地基承载力及沉降验算参数；

4 存在具有水头压力差的砂层、粉土地层时，应评价产生潜蚀、流土、管涌的可能性；

5 桥梁墩台明挖基础及地下箱涵通道等地下工程，应提供边坡稳定性验算参数，提出施工时地下水控制、岩土体支护与对相邻建筑物、管线监测建议；

6 采用桩基础时，应符合本规定 4.5.8 条要求；

7 采用沉井基础时，尚应符合下列要求：

1）提供沉井外壁与周围岩土的摩阻力；

2）在河床、岸边施工时，评价人工开挖边坡对岸坡稳定性的影响；

3）阐明影响施工的块石、漂石和其他障碍物，分析沉井施工对邻近建筑的影响；

4）评价沉井地基承载力；

5）提供相关处理岩土参数，提出沉井施工问题防治措施的建议。

5.5.6 室外管线工程的分析评价尚应包括下列内容：

1 存在不良地质作用的地段，应评价其发展趋势及危害程度，分析管线产生沉陷、不均匀变形或整体失稳的可能性，必要时提出整治措施建议和防治工程设计参数；

2 明挖直埋管线应根据埋置深度、沿线地面建筑或地下埋设物位置、岩土性质及地下水位等条件，分析明挖直埋的可行性和基槽边坡的稳定性，对可能产生潜蚀、流沙、管涌和坍塌的边坡提出降排水、支护或放坡措施建议；

3 顶管工程应分析顶管段地层岩性变化、富水特征及其影响，提供顶管设计所需参数及工作井与接收井地下水控制、支护措施建议，对顶管实施可行性作出初步评价；

4 根据不同类型的管材，分段判定环境水和土对管道和管基材料的腐蚀性，并提出防治措施建议。

5.5.7 城市堤岸工程的分析评价尚应包括下列内容：

1 根据堤岸沿线各地段的地形、地貌、地质、地层特征，分段分析与评价地基土工程性质和均匀性，提供各层地基土的承载力和变形参数、土压力计算和岸坡稳定性验算等设计和治理所需的岩土参数；

2 根据河流水文条件评价沿线岸坡稳定性和侵蚀程度，对堤岸结构类型和构筑物基础埋置深度和防腐措施提出建议；

3 根据地表水与地下水的排补关系，分析施工和使用期间地下水的变化趋势，必要时提供降水设计所需参数；

4 分析产生流土、管涌的可能性，提出防治措施建议；

5 存在采砂活动或不良地质作用的地段，应评价河槽形态发展趋势及对岸坡稳定性的影响，提出整治措施的建议和必要的防治工程设计参数；

6 对各类堤岸结构宜采用的基础型式以及地基处理措施提出建议；

7 提出工程施工监测建议。

5.5.8 支挡结构工程分析评价尚应包括下列内容：

1 根据支挡工程所处位置的地质构造、地层岩性，提供支挡结构设计、施工所需的岩土物理力学指标；

2 评价支挡结构及地基稳定性；

3 提供地基处理方法和支挡工程类型优选建议；

4 根据支挡地段水文地质条件，评价地下水对支挡建筑物的影响，提出排水、降水措施建议。

5 提出工程施工监测建议。

5.5.9 垃圾填埋工程的分析评价尚应包括下列内容：

1 根据场地地形地貌、不良地质作用和地质灾害等，评价场地和边坡的稳定性，提出处理措施的建议；

2 根据场地岩土分布及物理力学性质，评价地基土的强度与变形特征和地基土的均匀性，提供地基承载力；

3 阐明拟建场区及相邻影响区的水文地质条件，提供地基土的渗透系数等水文地质参数，评价水和土对建筑材料的腐蚀性；

4　根据垃圾处理场（厂）类型、填埋场库区结构、容量、坝型和坝高、不同建（构）筑物的性质，建议适宜采用的基础型式、地基处理、防渗及边坡治理措施；

5　对地下水位高的垃圾填埋场，应对施工期、空载候填期和下潜设施（如集水井、调节池）等不利条件进行抗浮、突涌分析，并提出相关建议；需要进行工程降水时，应提出相应建议并评价降水对周围环境的影响；

6　根据工程及地基特点提出工程监测的建议；

7　工程需要时，应根据垃圾渗沥液的化学成分，分析污染物的迁移规律，开展预测填埋场运营过程中出现渗沥液垂直和侧向渗漏，引起污染可能性的专项评价。

5.6　结论与建议

5.6.1　市政工程结论与建议内容应符合本规定 4.6 节要求。

6 城市轨道交通工程

6.1 一般规定

6.1.1 城市轨道交通工程包括城市地下铁道和轻轨交通的车站、隧道、高架线路、路基、桥涵、车辆段、停车场及附属建筑物。

6.1.2 城市轨道交通工程勘察报告内容应符合本章要求，体现轨道交通工程特点。车辆段、停车场中的地面建筑物及本章未具体说明的，参照第4章的规定执行。

6.1.3 城市轨道交通工程应按车站、区间分册编写勘察报告，车辆段、停车场应划分线路、地面建筑物分册编写，附属建筑物可根据需要纳入工点报告或单独编写。

6.2 工程与勘察工作概况

6.2.1 城市轨道交通工程与勘察工作概况应包括下列内容：

1 拟建工程概况；

2 勘察目的、任务要求和依据的技术标准；

3 岩土工程勘察等级；

4 勘察方法及勘察工作完成情况；

5 其他必要的说明。

6.2.2 拟建工程概况应叙述工程名称、委托单位名称、勘察阶段、总体工程及勘察区段概况、位置、环境条件概述、车站和线路区间敷设类型、设计荷载、结构类型、尺寸、基础底板埋深（或标高）、地下结构顶板埋深（或标高）及覆盖土层厚度、初步拟定的施工方法等。

6.2.3 拟建工程概况尚需根据其工程特点叙述下列内容：

1 车站包括起止及中心里程、长度、宽度、基础埋深、主体结构类型；

2 区间线路包括线路起止里程、线路类型、线间距，联络通道、竖井、盾构始发（接收）井的位置及结构设计尺寸；

3 高架车站、线路包括跨距、墩柱或桩设计荷载，高架区间跨越的铁路线、公路线、河流等；

4 地面线路包括路基（路堤、路堑）及支挡结构物的设计条件；

6.2.4 勘察目的、任务要求和依据的技术标准应符合本规定4.2.3条要求。

6.2.5 勘察方法及勘察工作完成情况应符合本规定4.2.4条要求。

6.3 场地环境与工程地质条件

6.3.1 场地环境与工程地质条件的内容应符合本规定4.3节的要求，并重点叙述以下内容：

1 暗挖工程应按工程要求进行岩土施工工程分级和隧道围岩分级；

2 需要填方的路基、车辆段或停车场，应明确填料组别；

3 对盾构工程，碎石土应描述最大粒径及其含量，提供颗粒分析曲线、特征粒径、砾石的破碎强度；粉土和黏性土需提供黏粒含量；

4 场地水文地质条件，应阐述岩土层的透水性和富水性，地表水和地下水之间的水力联系，河流、河谷地区尚应根据任务要求提供历史洪水位、冲刷特征。

6.4 岩土参数统计

6.4.1 岩土参数统计应符合本规定4.4节要求，具体统计参数应根据工程特点及依据的技术标准确定。

6.5 岩土工程分析评价

6.5.1 城市轨道交通工程岩土工程分析评价应符合本规定 4.5 节要求，并应根据项目特点满足本节要求。

6.5.2 分析和评价地基及围岩的稳定性、均匀性，评价施工工法的适宜性，确定暗挖车站和区间隧道的岩土施工工程分级和围岩分级，对设计、施工提出相应的措施和建议。

6.5.3 评价场地地下水在工程施工和使用期间可能产生的变化及其对工程和环境的影响，对地下结构的防水和抗浮进行分析；需进行地下水控制时提供地下水控制设计参数，提出工程地下水控制措施及监测的建议。

6.5.4 分析评价地下工程施工方法对邻近建筑和市政设施的影响，提供稳定性分析及支护计算的岩土参数。

6.5.5 提供地基承载力、桩的侧阻力、端阻力、基床系数、静止侧压力系数、电阻率、热物理指标等岩土参数。

6.5.6 车站与基坑工程尚应包括下列内容：

1 评价岩土层的稳定性及其对设计、施工的影响，提出支护方案的建议；

2 提供天然地基、桩基、中柱桩的设计施工所需的参数。

6.5.7 隧道工程分析评价尚应包括下列内容：

1 进行岩土施工工程分级和围岩分级，评价围岩的稳定性；

2 阐述断裂构造和破碎带的位置、规模、产状和力学属性，划分岩体结构类型，必要时预测隧道的涌水量。

6.5.8 矿山法施工的分析评价尚应包括下列内容：

1 分析不良地质作用和特殊地质条件，指出可能出现的坍塌、冒顶、边墙失稳、洞底隆起、涌水或突水等现象及其地段；

2 在围岩分级的基础上，指出影响围岩稳定的薄弱部位；

3 对可能出现高地应力地段，进行地应力对工程影响的分析，提出进行地应力观测建议；

4 对需爆破的地段，分析其可能产生的影响及范围，提出防治措施的建议。

6.5.9 盾构法施工的分析评价尚应包括下列内容：

1 根据岩土层的特点和岩土物理力学性质，对盾构法施工适宜性进行评价；

2 指出复杂地层及河流、湖泊等地表水体对盾构施工的影响；

3 分析盾构施工可能造成的沉降和土体位移等地面变形，分析地面变形对周边环境和邻近建（构）筑物的影响，提出防治措施建议。

6.5.10 高架线路工程分析评价尚应包括下列内容：

1 提供桩基承载力和变形计算所需的参数，评价桩基稳定性，提出桩的类型、入土深度建议，必要时估算单桩承载力；

2 根据任务要求提供跨河桥河流的流速、流量、抗洪设防水位、河流冲刷线等资料；

3 跨线桥尚应满足所跨线路（道路、公路、铁路）的相关要求。

6.5.11 一般路基工程分析评价尚应包括下列内容：

1 分段划分岩土工程施工分级；

2 评价路基基底的稳定性。

6.5.12 高路堤工程分析评价尚应包括下列内容：

1 分析不利倾向的软弱夹层，评价基底和斜坡稳定性；

2 分析地下水活动对基底稳定性的影响；

3 分段提供验算基底稳定性的岩土参数；

4 软土地区的高路堤应提供变形计算参数，提出地基处理方法建议，工程需要时估算沉降量和工后沉降。

6.5.13 深路堑工程分析评价尚应包括下列内容：

1 评价岩土透水性及地下水对路堑边坡及地基稳定性的影响；

2　提供边坡稳定性计算和支护设计参数；

3　提出边坡最优开挖坡率和排水措施建议。

6.5.14　支挡结构工程分析评价应符合本规定5.5.8条要求。

6.5.15　涵洞工程分析评价尚应包括下列内容：

1　阐述地貌、地层、岩性、地质构造、天然沟床稳定状态、隐伏基岩的倾斜状态、不良地质作用和特殊地质条件；

2　根据涵洞地基水文地质条件，提供含水层的渗透系数等参数；

3　地基为人工填土时，应评价其适宜性，提供承载力值，对施工和使用过程中可能发生的问题进行说明，并提出相应措施的建议。

6.5.16　车辆段和停车场工程应根据不同结构类型分别进行评价，并考虑场地平整的要求。

1　阐述建筑范围内岩土层的类型、深度、分布、工程特性，分析和评价地基的稳定性、均匀性和承载力，提出地基方案建议；

2　对需进行地基变形计算的建筑物，提供地基变形计算参数，预测建筑物的变形特征；

3　填方工程应对填料和施工提出控制要求。

6.5.17　环境影响分析应根据任务要求进行，可包括下列内容：

1　分析基坑开挖、隧道掘进和桩基施工等可能引起的地面沉降和土体位移，及其对邻近建（构）筑物及地下管线的影响。

2　分析施工降水导致地下水位变化，出现区域性降落漏斗，水源减少、地面固结沉降等情况，提出防治措施建议。

3　分析工程建成后或运营过程中，可能对周围的岩土、地面环境和建（构）筑物的影响。

6.6　结论与建议

6.6.1　城市轨道交通工程结论与建议内容应符合本规定4.6节

要求。

6.6.2 城市轨道交通工程的结论与建议应满足设计的要求及已明确施工方案的要求。

6.6.3 对尚不具备现场勘察条件的勘探点，应明确下一步的工作要求，提出完成工作的条件。对确实无法满足工作条件的勘探点，应提出解决问题的方法和建议。

6.6.4 对钻孔无法实施、地质条件复杂的地段应提出施工勘察、超前地质预报的建议或专项勘察的建议。

7 特殊场地

7.1 一般规定

7.1.1 下列场地勘察时，勘察报告应符合本章的要求。

1 有特殊性岩土分布的场地；

2 边坡工程场地；

3 不良地质作用发育和存在地质灾害的场地。

7.1.2 在特殊场地进行勘察时，应考虑工程建设和人类活动对其的影响，应满足相关专业规范的要求。

7.2 特殊性岩土

7.2.1 湿陷性土勘察报告应包括下列内容：

1 湿陷性土地层的时代、成因及分布范围；

2 湿陷性土层的厚度、湿陷系数和自重湿陷系数随深度的变化；

3 场地复杂程度、场地湿陷类型和地基湿陷等级及其平面分布；

4 必要时提供湿陷起始压力随深度的变化规律；

5 必要时分析地下水位升降变化的可能性和变化趋势；

6 需进行地基处理时，应说明处理目的、处理方法、处理深度，提供地基处理所需岩土参数；

7 采用桩基时应提供持力层和适宜的成桩方式建议，提供桩基设计有关岩土参数，自重湿陷性黄土场地应提供桩的负摩阻力建议值；

8 遇基坑和边坡工程时，应进行稳定性评价，提供有关岩土参数。

7.2.2 红黏土勘察报告应包括下列内容：

1 不同地貌单元红黏土的类型、分布、厚度、物质组成、土性等特征；

2 红黏土的状态；

3 裂隙发育特征及其成因；

4 红黏土下伏基岩岩性，岩溶发育特征及其与红黏土土性、厚度变化的关系；

5 地下水、地表水的分布、动态及其与红黏土状态垂向分带的关系；

6 裂隙发育的红黏土应提供三轴剪切试验或无侧限抗压强度试验成果；

7 地基的均匀性分类；

8 红黏土地基承载力；

9 地基持力层、基础型式选择，建筑物避让地裂密集带或深长地裂地段的建议；

10 基坑施工建议。

7.2.3 软土勘察报告应包括下列内容：

1 软土的成因类型、分布规律、地层结构、砂土夹层分布和均匀性；

2 软土层的强度和变形特征指标，必要时阐述软土层的固结历史、应力水平和土体结构扰动对强度和变形的影响；

3 硬壳层的分布与厚度、下伏硬土层或基岩的埋深和起伏状况；

4 微地貌形态和暗埋的塘、浜、沟、坑、穴的分布、埋深及其填土的情况；

5 提供基础型式和持力层建议，对于上为硬层、下为软土的双层土地基应进行下卧层强度验算；

6 判定地基产生失稳和不均匀变形的可能性，当工程位于池塘、河岸、边坡附近时应评价其稳定性，当地面有大面积堆载时应分析其对建（构）筑物的不利影响；

7 基坑工程宜提供基坑开挖方式、支护结构类型、抗剪强度参数、渗透系数和降水方法建议；

8 开挖、回填、支护、工程降水、打桩、沉井等施工方法对施工安全和周围环境的影响；

9 软土地基处理及监测建议。

7.2.4 混合土勘察报告应包括下列内容：

1 混合土的名称、物质组成、来源；

2 混合土场地及其周围地形、地貌；

3 混合土的成因、分布，下伏土层或基岩的埋藏条件，坡向、坡度，层面倾向、倾角，是否存在软弱结构面；

4 混合土中粗大颗粒的风化情况，细颗粒的成分和状态；

5 混合土的均匀性及其在水平方向和垂直方向上的变化规律；

6 地下水的分布和赋存条件、透水性和富水性，不同水体的水力联系；

7 不均匀混合土地基工程应分析评价不均匀沉降对工程的影响；

8 对不稳定或存在不良地质作用的混合土地基应根据技术经济条件提出避开或处理措施建议；

9 评价混合土地基对工程的影响，提出处理措施的建议，提供设计施工所需的岩土参数。

7.2.5 填土勘察报告应包括下列内容：

1 填土的类型、成分、分布、厚度、堆填年代和固结程度；

2 地基的均匀性、压缩性、密实度和湿陷性；

3 当填土作为持力层时，提供地基承载力；

4 当填土底面的坡度大于20%，应根据场地地基条件评价其稳定性；

5 有关填土地基处理和基础方案的建议；

6 欠固结的填土采用桩基时应提供桩的负摩阻力建议值；

7 必要时，根据有机质、有毒元素、有害气体的含量、分布，评价其对工程、环境的影响。

7.2.6 多年冻土勘察报告应包括下列内容：

1 多年冻土的分布范围及上限深度；

2 多年冻土的类型、厚度、总含水量、构造特征；

3 多年冻土层上水、层间水和层下水的赋存形式、相互关系及其对工程的影响；

4 多年冻土的融沉性分级和季节融化层土的冻胀性分级；

5 厚层地下冰、冰椎、冰丘、冻土沼泽、热融滑塌、热融湖塘、融冻泥流等不良地质作用的形态特征、形成条件、分布范围、发生发展规律及其对工程的危害程度；

6 多年冻土试样的采取、搬运、贮存、试验中采用避免融化的措施

7 多年冻土特殊的物理力学和热学性质指标；

8 多年冻土的地基类型和地基承载力；

9 建筑物对多年冻土的避让建议。

7.2.7 膨胀岩土勘察报告应包括下列内容：

1 膨胀岩土的地质年代、岩性、矿物成分、成因、产状、分布以及颜色、裂隙发育情况和充填物等特征；

2 划分地形、地貌单元和场地类型；

3 浅层滑坡、裂缝、冲沟和植被情况；

4 地表水的排泄和积聚情况、地下水的类型、水位及其变化规律；

5 当地降水量、干湿季节、干旱持续时间等气象资料、大气影响深度；

6 自由膨胀率、一定压力下的膨胀率、收缩系数、膨胀力等指标；

7 膨胀潜势、地基的膨胀变形量、收缩变形量、胀缩变形

量、胀缩等级；

8 对边坡及位于边坡上的工程进行稳定性评价；

9 提供膨胀岩土预防措施及地基处理方案的建议。

7.2.8 盐渍岩土勘察报告应包括下列内容：

1 盐渍土场地及其周围地形、地貌，当地气象和水文资料；

2 盐渍岩土的成因、分布和特点；

3 含盐类型、含盐量及其在岩土中的分布以及对岩土工程特性的影响；

4 溶蚀洞穴发育程度和分布；

5 地下水与地表水的相互关系，地下水的类型、埋藏条件、水质、水位及其季节变化，有害毛细水上升高度；

6 岩土的溶陷性、盐胀性、腐蚀性和场地工程建设的适宜性及地基处理和防治措施的建议。

7.2.9 风化岩和残积土勘察报告应包括下列内容：

1 残积土母岩的地质年代和岩石名称，下伏基岩的产状和裂隙发育程度；

2 风化程度的划分及其分布、埋深和厚度；

3 岩土的均匀性和软弱夹层的分布、产状及其对地基稳定性的影响；

4 对花岗岩残积土，测定其中细粒土的天然含水量 w_f、塑限 w_P、液限 w_L；

5 地下水的赋存条件、透水性和富水性，不同含水层的水力联系；

6 建在软硬不均或风化程度不同地基上的工程，分析不均匀沉降对工程的影响；

7 岩脉、球状风化体（孤石）的分布及其对地基基础（包括桩基）的影响，并提出相应的建议；

8 必要时评价风化岩和残积土边坡稳定性。

7.2.10 污染土场地勘察报告应包括下列内容：

1 污染源的位置、成分、性质、污染史及对周边的影响；

2 污染土分布的平面范围和深度、地下水受污染的空间范围；

3 污染土的物理力学性质，评价污染对土的工程特性指标的影响程度；

4 污染土和水对建筑材料的腐蚀性；

5 对已建项目的危害性或拟建项目适宜性的综合评价。

7.2.11 污染土场地勘察报告尚应根据任务要求提供下列内容：

1 提供地基承载力和变形参数，预测地基变形特征；

2 评价污染土和水对环境的影响；

3 分析污染发展趋势；

4 根据污染土、水分布特点与污染程度，结合拟建工程采用的基础型式，提出污染土、水处置建议。

7.3 边坡工程

7.3.1 边坡工程勘察报告应包括下列内容：

1 边坡高度、坡度、形态、坡底高程、开挖线、堆坡线和边坡平面尺寸以及拟建场地的整平高程；

2 地形地貌形态，覆盖层厚度、边坡基岩面的形态和坡度；

3 岩土的类型、成因、性状、岩石风化和完整程度；

4 岩体主要结构面（特别是软弱结构面）的类型、产状、发育程度、延展情况、贯通程度、闭合程度、风化程度、充填状况、充水状况、组合关系、力学属性和与临空面的关系；

5 岩土物理力学性质、岩质边坡的岩体分类、边坡岩体等效内摩擦角、结构面的抗剪强度等边坡治理设计与施工所需的岩土参数；

6 地下水的类型、水位、主要含水层的分布情况、岩体和软弱结构面中的地下水情况、岩土的透水性和地下水的出露情况、地下水对边坡稳定性的影响以及地下水控制措施建议；

7 不良地质作用的范围和性质、边坡变形迹象、变形时间和机理以及演化趋势等；

8 地区气象条件（特别是雨期、暴雨强度），汇水面积、坡面植被，地表水对坡面、坡脚的冲刷情况；

9 边坡稳定性评价结论和建议；

10 边坡工程安全等级。

7.3.2 边坡稳定性评价应包括下列内容：

1 边坡的破坏模式和稳定性评价方法；

2 稳定性验算的主要岩土参数、取值原则、取值依据；

3 稳定性验算以及验算结果评价；

4 边坡对相邻建（构）筑物的影响评价以及防护措施建议；

5 边坡防护处理措施和监测方案建议；

6 边坡治理设计与施工所需的岩土参数；

7 护坡设计与施工应注意的问题。

7.4 不良地质作用和地质灾害

7.4.1 勘察场区存在不良地质作用和地质灾害时，勘察报告应对其进行分析评价。对规模较大、危害严重的不良地质作用和地质灾害，应进行专门的勘察与评价工作，并提交相应的专题报告。

7.4.2 岩溶勘察报告应包括下列内容：

1 岩溶发育的区域地质背景；

2 场地地貌、地层岩性、岩面起伏、形态和覆盖层厚度、可溶性岩特性；

3 场地构造类型，断裂构造位置、规模、性质、分布，分析构造与岩溶发育的关系；

4 地下水类型、埋藏条件、补给、径流和排泄情况及动态变化规律，地表水系与地下水水力联系；

5 岩溶类型、形态、位置、大小、分布、充填情况和发育规律；

6　分析岩溶的形成条件，人类活动对岩溶的影响；

7　土洞和塌陷的成因、分布位置、埋深、大小、形态、发育规律、与下伏岩溶的关系、影响因素及发展趋势和危害性，地面塌陷与人工抽（降）水的关系；

8　岩溶与土洞稳定性分析评价及对工程的影响；

9　对施工勘察、防治措施和监测建议。

7.4.3　滑坡勘察报告应包括下列内容：

1　滑坡区的地质背景，水文、气象条件；

2　滑坡区的地形地貌、地层岩性、地质构造与地震；

3　滑坡的类型、范围、规模、滑动方向、形态特征及边界条件、滑动带岩土特性，近期变形破坏特征、发展趋势、影响范围及对工程的危害性；

4　场地水文地质特征、地下水类型、埋藏条件、岩土的渗透性，地下水补给、径流和排泄情况、泉和湿地等的分布；

5　地表水分布、场地汇水面积、地表径流条件；

6　滑坡形成条件、影响因素及因素敏感性分析、滑坡破坏模式与计算方法、与滑坡计算模式相应的岩土抗剪强度参数；

7　分析与评价滑坡稳定性，工程建设适宜性；

8　提供防治工程设计的岩土参数；

9　提出防治措施和监测建议。

7.4.4　危岩和崩塌勘察报告应包括下列内容：

1　危岩和崩塌地质背景，水文、气象条件；

2　地形地貌、地层岩性、地质构造与地震、水文地质特征、人类活动情况；

3　危岩和崩塌类型、范围、规模、崩落方向、形态特征及边界条件、危岩体岩性特征、风化程度和岩体完整程度、近期变形破坏特征、发展趋势和对工程的危害性；

4　危岩和崩塌的形成条件、影响因素；

5 危岩和崩塌的稳定性分析与评价，评价其影响范围、危害程度及工程建设的适宜性；

6 提供防治工程设计的岩土参数；

7 提供防治措施和监测建议。

7.4.5 泥石流勘察报告应包括下列内容：

1 泥石流的地质背景，水文、气象条件；

2 地形地貌特征、地层岩性、地质构造与地震、水文地质特征、植被情况、有关的人类活动情况；

3 泥石流的类型、历次发生时间、规模、物质组成、颗粒成分，暴发的频度和强度、形成历史、近期破坏特征、发展趋势和危害程度；

4 泥石流形成区的水源类型、水量、汇水条件及汇水面积、固体物质的来源、分布范围、储量；

5 泥石流流通区沟床、沟谷发育情况、切割情况、纵横坡度、沟床的冲淤变化和泥石流痕迹；

6 泥石流堆积区的堆积扇分布范围、表面形态、堆积物性质、层次、厚度、粒径；

7 分析泥石流的形成条件，评价其对工程建设的影响；

8 提供防治工程设计的岩土参数；

9 提出防治措施和监测建议。

7.4.6 采空区勘察报告应包括下列内容：

1 采空区的地质背景和地形地貌条件；

2 采空区的范围、层数、埋藏深度、开采时间、开采方式、开采厚度、上覆岩层的特性等；

3 采空区的塌落、空隙、填充和积水情况，填充物的性状、密实程度等；

4 地表变形特征、变化规律、发展趋势，对工程的危害性；

5 采空区附近的抽水和排水情况及其对采空区稳定的影响；

6 评价老采空区上覆岩层的稳定性，预测现采空区和未来采空区的地表移动、变形的特征和规律性，判定作为工程场地的适宜性；

7 提供防治工程设计的岩土参数；

8 提出防治措施和监测建议。

7.4.7 地面沉降勘察报告应包括下列内容：

1 场地地貌和微地貌；

2 第四纪堆积物岩性、年代、成因、厚度、埋藏条件；

3 地下水埋藏条件，含水层渗透系数、地下水补给、径流、排泄条件，地下水位、水头升降变化幅度和速率；

4 地下水开采和回灌层位、开采和回灌情况，地下水位降落漏斗及回灌漏斗的形成和发展过程；

5 地面建筑和构筑物受影响情况，沉降、倾斜、裂缝大小及其发生过程；

6 分析地面沉降产生原因、变化规律和发展趋势，分析地面沉降影响因素，评价工程建设的适宜性；

7 提供防治工程设计的岩土参数；

8 提出治理措施和监测建议。

7.4.8 地裂缝勘察报告应包括下列内容：

1 场地地貌和微地貌；

2 土层岩性、年代、成因、厚度、埋藏条件；

3 地下水埋藏条件，含水层渗透系数、地下水补给、径流、排泄条件；

4 地裂缝发育情况、分布规律，裂缝形态、大小、延伸方向、延伸长度，裂缝间距、裂缝发育的土层位置、裂缝性质；

5 地下水开采和地下水位降落漏斗的形成和发展过程，与地裂缝分布的关系；

6 地面建筑和构筑物受影响情况；

7 分析地裂缝产生的原因，分析地裂缝与新构造运动的关系，评价工程建设的适宜性；

8　提供防治工程设计的岩土参数；

9　提出防止措施和监测建议。

7.4.9　当拟建工程场地有活动断裂通过时，勘察报告应包括下列内容：

1　活动断裂调查与勘探结果和地质地貌判别依据；

2　活动断裂的位置、类型、产状、规模、断裂带的宽度、岩性、岩体破碎和胶结程度、富水性及与拟建工程的关系；

3　活动断裂的活动年代、活动速率、错动方式和地震效应；

4　评价活动断裂对建筑物可能产生的危害和影响，提出避让或工程措施建议；

5　必要时提出进一步工作或进行地震危险性安全评价建议。

8 场地和地基的地震效应

8.0.1 抗震设防烈度等于或大于6度地区的勘察报告，应根据本章要求进行场地和地基的地震效应评价。工程需要时应进行专门研究。

8.0.2 进行地震效应评价时，应根据工程情况和设计要求合理选择依据的抗震设计技术标准，勘察工作量应满足相应抗震设计技术标准的要求。

8.0.3 地震效应评价应在搜集场地地震历史资料和地质资料的基础上结合工程情况进行。

8.0.4 地震效应评价应包括以下内容：

1 应明确评价所依据的标准；

2 提供勘察场地的抗震设防烈度、设计基本地震加速度、设计地震分组；

3 确定场地类别，进行岩土地震稳定性（如滑坡、崩塌、液化和震陷特性等）评价；

4 应根据实际需要划分对建筑有利、一般、不利和危险的地段；

5 存在饱和砂土和饱和粉土的场地，当场地抗震设防烈度为7度和7度以上时应进行液化判别（抗震设防烈度为6度时可不考虑液化的影响，但对沉降敏感的乙类建筑，可按7度进行液化判别）；

6 位于条状突出的山嘴、高耸孤立的山丘、非岩石和强风化岩石的陡坡、河岸和边坡边缘等不利地段的工程，应阐述边坡形态、相对高差、地层岩性和拟建工程与边坡的距离。

8.0.5 当场地类别、液化程度差异较大时应进行分区，分别评价。

8.0.6 液化判别评价包括以下方面：

1 判定场地土液化的可能性；

2 可能液化场地评价液化等级和危害程度；

3 根据液化等级、工程重要性提出抗液化措施的建议。

8.0.7 液化判别应说明依据的技术标准、公式，液化判别包括以下内容：

1 液化判别应根据现行抗震设计技术标准规定的方法进行初步判别；

2 当初步判别后确认需要进行进一步判别时，应采用标准贯入试验等方法进一步判别。

8.0.8 采用标准贯入试验方法判别液化应包括以下内容：

1 明确判别公式；

2 列出判别点的黏粒含量和取值依据；

3 列出所采用的地下水位条件及依据。

8.0.9 评价液化等级时，宜采用列表方法并按以下步骤进行：

1 按照每个试验点逐点判别；

2 按照每个试验孔计算液化指数；

3 综合确定场地液化等级，必要时进行场地液化分区。

8.0.10 对需要采用时程分析法补充计算的工程，应根据设计要求提供土层剖面、场地覆盖层厚度和有关动力参数。

9 图表

9.1 一般规定

9.1.1 本规定所指图表是指勘察报告中与文字部分相对独立的图表。

9.1.2 部分图表也可作为文字部分的插图、插表。作为插图、插表时，应分图、表两类统一编号，内容要求可参照本规定。

9.1.3 勘察报告图件应有图例，图表应有图表名称、项目名称，图件应采用恰当比例尺，平面图应标识方向。

9.1.4 室内试验和原位测试，均应按有关标准进行记录、计算、绘制各种曲线，当采用计算机采集数据和处理数据时，应有成果打印文件。

9.1.5 勘察报告应包括下列图表：

1 勘探点平面位置图；

2 工程地质剖面图；

3 原位测试成果图表；

4 室内试验成果图表；

5 探井（探槽）展示图；

6 物理力学试验指标统计表。

9.1.6 市政道路工程、管道工程应根据需要提供纵向剖面图。

9.1.7 城市轨道交通工程应提供典型钻孔的钻孔柱状图，根据需要提供工程地质纵断面、横断面图。

9.1.8 勘察报告可根据需要增加下列图表：

1 拟建工程位置图；

2 区域地质图；

3 区域构造图；

4 综合工程地质图；

5 工程地质分区图；

6 地下水等水位线图；

7 基岩面（或其他层面）等值线图；

8 设定高程岩性分布切面图；

9 综合柱状图；

10 钻孔（探井）柱状图；

11 勘探点主要数据一览表；

12 地震液化判别表；

13 各岩土层顶面标高、埋深及厚度统计表；

14 岩土利用、整治、改造方案的有关图表；

15 岩土工程计算简图及计算成果图表；

16 素描及照片；

17 其他需要的图表。

9.2 平面图、剖面图和柱状图

9.2.1 拟建工程位置图或位置示意图可作为报告书的附图，拟建工程位置图或位置示意图应符合下列要求：

1 拟建工程位置应以醒目的图例表示；

2 城镇中的拟建工程应标出邻近街道和特征性的地物名称；

3 城镇以外的拟建工程应标出邻近村镇、山岭、水系及其他重要地物的名称；

4 规模较大或较重要的拟建工程宜标出大地坐标。

9.2.2 勘探点平面位置图应包括下列内容：

1 拟建工程的轮廓线及其与红线或已有建筑物的关系、层数（或高度）及其名称、编号、拟定的场地整平标高，当勘察场地地形起伏较大时，应有地形等高线；

2 已有建筑物的轮廓线、层数（或高度）及其名称；

3 勘探点及原位测试点的位置、类型、编号、孔（井）口标高、深度等；

4 剖面线的位置和编号；

5 方向标、比例尺、必要的文字说明。

9.2.3 市政工程勘探点平面位置图尚应符合下列要求：

1 道路工程、管道工程、堤岸工程应附有地形地物的道路走向和里程桩号的初步设计带状平面图，必要时应附拟建工程位置示意图；

2 桥涵工程应附有场地地形地物。

9.2.4 城市轨道交通勘探点平面位置图尚应包括地形、地物、线路及里程、站位和隧道位置及结构轮廓线等要素。

9.2.5 地面起伏或占地面积较大的工程，建筑物与勘探点平面位置图应以相同比例尺的地形图为底图。勘探点和原位测试点宜有坐标，坐标数据可列入“勘探点主要数据一览表”或列表放在本图的适当位置。

9.2.6 工程地质剖面图应根据具体条件合理布置，主要应包括下列内容：

1 勘探孔（井）的位置、编号、地面标高、勘探深度、勘探孔（井）间距，剖面方向（基岩地区）；

2 岩土图例符号（或颜色）、岩土分层编号、分层界线；

3 实测或推测的岩石分层、岩性分界、断层、不整合面的位置和产状；

4 溶洞、土洞、塌陷、滑坡、地裂缝、古河道、埋藏的湖浜、古井、防空洞、孤石及其他埋藏物；

5 地下水稳定水位标高（或埋深）；

6 取样位置、类型或等级；

7 圆锥动力触探曲线或随深度的试验值；

8 标准贯入等原位测试的位置、测试成果；

9 标高；

10 地形起伏较大或工程需要时，标明拟建工程的位置和场地整平标高。

9.2.7 市政工程纵向剖面图（工程地质剖面图）尚应包括下列内容：

1 线路及里程等要素；

2 路基设计标高及挖填方位置；

3 管道工程的设计管道顶底标高。

9.2.8 城市轨道交通工程地质剖面图、工程地质纵断面图尚应包括车站和隧道位置、线路里程、车站的站中里程、区间两端站名、顶底标高及结构轮廓线等。

9.2.9 钻孔（探井）柱状图应包括下列内容：

1 钻孔（探井）编号、直径、深度、勘探日期和孔（井）口标高等；

2 地层编号、年代和成因，层底深度、标高、层厚，柱状图，取样及原位测试位置，岩土描述、地下水位、测试成果，岩芯采取率或岩石质量指标 RQD（对于岩石）等；

3 必要的孔（井）坐标。

9.3 原位测试图表

9.3.1 载荷试验成果图表应包括下列内容：

1 试验编号、地面标高、岩土名称、岩土性质指标、地下水位深度、试验深度、压板形式和尺寸、加荷方式、稳定标准、观测仪器及其标定情况、试验开始及完成日期；

2 试验点平面及剖面示意图、压力与沉降关系曲线、沉降与时间关系曲线；

3 累计沉降、沉降增量、比例界限压力、变形模量、承载力特征值、极限荷载压力。

9.3.2 单桩静力载荷试验应编制专门的试桩报告，包括文字和图表，其内容应符合相应规范、标准的规定。试验成果图表应包括下列内容：

1 试桩编号、试验安装示意图、试桩及锚桩配筋图、地面标高、桩的类型、受力方式（竖向或水平等）、混凝土强度等级、桩身尺寸、桩身长度及入土深度、加荷方式、混凝土浇注或打（压）桩日期、试验日期、试桩过程中的异常情况；

2 桩周及桩端岩土性质指标；

3 加荷次序、分级荷载、本级沉降、累计沉降、本级历时、累计历时、直线段荷载、极限荷载；

4 荷载和沉降（水平位移）关系曲线、沉降与时间关系曲线，单桩水平静力载荷试验尚应绘制荷载与位移增量关系曲线。

9.3.3 静力触探成果图表应包括下列内容：

1 孔号、地面标高、仪器型号、探头尺寸、率定系数、记录方式、试验日期；

2 深度与贯入阻力关系曲线，对于单桥静力触探横坐标为比贯入阻力，对于双桥静力触探横坐标为锥尖阻力、侧摩阻力和摩阻比，对于三桥探头横坐标为锥尖阻力、侧摩阻力、摩阻比和贯入时的孔隙水压力。

9.3.4 圆锥动力触探成果图表应包括下列内容：

1 孔号、地面高程、动力触探型号、记录方式、试验日期；

2 深度与锤击数关系曲线（连续进行动力触探试验时）。

9.3.5 十字板剪切试验成果图表应包括下列内容：

1 孔号、地面高程、试验深度、土名及特征、地下水位、板头尺寸、板头常数、率定系数、仪器型号、量测方式、试验日期；

2 测试数据、原状土十字板抗剪强度、重塑土十字板抗剪强度与深度关系曲线、灵敏度等。

9.3.6 旁压试验成果图表应包括下列内容：

1 孔号、地面标高、试验深度、土名及特征、地下水位、仪器型号与类型（自钻式或预钻式）、试验日期；

2 旁压试验曲线图、测试数据（各级压力与对应的体积或半径增量）以及由其确定的初始压力、临塑压力、极限压力、旁压模量等。

9.3.7 扁铲侧胀试验成果图表应包括下列内容：

1 孔号、地面高程、土名及特征、地下水位、仪器型号、率定系数、试验日期；

2 各测试深度加压至0.05mm、1.10mm及减压至0.05mm的压力值；

3 侧胀模量、侧胀水平应力指数、侧胀土性指数、侧胀孔压指数与深度的关系曲线。

9.3.8 现场直接剪切试验成果图表应包括下列内容：

1 试验编号、地面高程、试验深度、岩土名称、岩体软弱面性质、地下水位、试体尺寸、剪切面积、加荷方式、量测仪器型号和方式、试验日期；

2 测试数据、剪切应力与剪切位移曲线、剪切力与垂直位移曲线，确定比例强度、屈服强度、峰值强度、剪胀强度、残余强度等；

3 法向应力与比例强度、屈服强度、峰值强度、残余强度关系曲线，确定相应强度参数。

9.3.9 基床系数试验成果图表应包括下列内容：

1 试验编号、地面高程、岩土名称、岩土性质指标、地下水位深度、试验深度、压板尺寸、加荷方式、稳定标准、观测仪器、试验开始及完成日期；

2 试验点平面及剖面示意图、压力与沉降关系曲线、沉降与时间关系曲线；

3 比例界限压力、地基土基床系数。

9.3.10 波速测试成果图表应包括下列内容：

1 试验孔号、地面高程、地层、地下水位、测试方法（单孔法、跨孔法或面波法）、测试仪器型号、试验日期；

2 测试数据（距离、深度）；

3 波速与深度关系曲线；

4 跨孔法应有剖面示意图。

9.3.11 抽水试验成果图表应包括下列内容：

1 试验编号、地面标高、试验日期、稳定水位、抽水孔结构及地层剖面、水位降深、涌水量、水位恢复曲线、渗透系数及其计算公式；

2 涌水量与时间、水位降与时间关系曲线、涌水量与水位降关系曲线、单位涌水量与水位降关系曲线等；

3 多孔抽水试验成果图表尚应包括多孔抽水孔平面关系示意图、带有抽降水位线的剖面图、观测孔的水位降深等内容。

9.3.12 压水试验成果图表应包括下列内容：

1 试验编号、地面高程、试验日期、地下水位、试验设备型号及尺寸，栓塞类型、试验段长度及地层；

2 栓塞安装示意图及主要试验参数；

3 压力与流量关系曲线、曲线类型、试段透水率、渗透系数、吕荣值等。

9.3.13 注水（渗水）试验成果图表应包括下列内容：

1 试验编号、地面高程、试验位置、试验孔或试坑尺寸、试验设备型号及尺寸、试验方法、地层剖面、试验日期；

2 （常水头试验时）注水量与时间、水位恢复曲线、渗透系数、渗透系数计算公式等；

3 （变水头试验时）水头比与时间关系曲线、滞后时间、渗透系数、渗透系数计算公式等。

9.4 室内试验图表

9.4.1 土工试验成果汇总表应明确土的分类、定名依据，并包括下列内容：

1 孔（井）及土样编号、取样深度、土的名称；

2 试验栏目：颗粒级配百分数、天然含水量、天然密度、比重、饱和度、天然孔隙比、液限、塑限、塑性指数、液性指数、压缩系数、压缩模量、黏聚力、内摩擦角、有机质含量等；

3 根据实际情况可增加相对密实度、不均匀系数、曲率系数、高压固结试验、渗透试验、固结系数试验、无侧限抗压强度试验、湿陷性试验、膨胀性试验及其他特殊项目试验栏目；

4 栏目的指标应标明指标名称及符号、计量单位，界限含水量应注明测定方法，压缩系数及压缩模量应注明压力段范围，抗剪强度指标应注明试验方法和排水条件。

9.4.2 固结试验图表应包括下列内容：

1 不同压力下的孔隙比；

2 e-p 曲线图；

3 不同压力段的压缩系数和压缩模量；

4 必要的文字说明。

如固结试验不提供成果图表，则应在土工试验成果汇总表中提供不同压力下的孔隙比或提供不同压力下的压缩模量，需考虑回弹变形时，应提供相关参数，必要时提供综合压缩曲线。

9.4.3 固结试验确定先期固结压力成果应按 e-lgp 曲线整理，成果图表包括下列内容：

1 不同压力下的孔隙比；

2 e-lgp 曲线图；

3 确定的先期固结压力、压缩指数和回弹指数及必要的文字说明。

9.4.4 剪切试验应说明试验方法（三轴或直剪）、固结条件、排水条件，并符合下列要求：

1 直剪试验宜提供抗剪强度与垂直压力关系曲线图表，不提供图表时，应提供不同垂直压力下的抗剪强度；

2 三轴试验应提供主应力差和轴向应变关系曲线、摩尔圆和强度包线图，必要时提供主应力比与轴向应变关系曲线、孔隙水压力或体积应变与轴向应变关系曲线、应力路径曲线，并列表提供相应的数值。

9.4.5 击实试验应提供干密度和含水量关系曲线，标明最大干密度和最优含水量，注明试验类型，并应符合下列要求：

1 试验类型应与试验方法规定的土类和粒径相一致；

2 干密度和含水量（率）关系曲线应绘制于直角坐标系中，取曲线峰值点相应的纵坐标为击实试样的最大干密度，相应的横坐标为击实试样的最优含水量；当关系曲线不能绘出峰值点时，应进行补点，图样不宜重复使用；

3 轻型击实试验中，当试样中粒径大于 5mm 的土质量小于或等于试样总质量的 30％时，应对最大干密度和最优含水量进行校正。

9.4.6 室内岩石试验图表应注明试件编号、岩石名称、取样地点、试件尺寸，提供岩石的天然密度、吸水率、饱和吸水率等。单轴抗压强度试验和三轴压缩强度试验尚应符合下列要求：

1 岩石单轴抗压强度试验应提供单轴抗压强度值，对各向异性明显的岩石应提供平行和垂直层理面的强度，必要时提供软化系数；

2 岩石单轴压缩变形试验应提供岩石的弹性模量和泊松比；

3 岩石三轴压缩强度试验应提供不同围压下的主应力差与轴向应变关系、摩尔圆和抗剪强度包络线、强度参数 c、ϕ 值。

9.4.7 水和土的腐蚀性分析成果应符合下列要求：

1 水和土腐蚀性分析试验的项目和方法应符合现行《岩土工程勘察规范》（GB 50021）的要求；

2 水和土的腐蚀性分析成果应采用表格形式，其内容包括钻孔（探井）编号、水（土）样编号、取样时间、取样深度、土的名称、试验时间、试验方法、各项试验结果。

9.5 统计表

9.5.1 勘探点主要数据一览表应包括下列内容：

1 勘探点编号、孔口标高、孔深；

2 取样数量（原状、扰动）、原位测试工作量；

3 勘探点坐标。

9.5.2 物理力学试验指标统计表、建议值表包括下列内容：

1 统计项目、统计样本数、最大值、最小值、平均值；

2 主要岩土层的关键测试项目（包括孔隙比、压缩模量、黏聚力、内摩擦角、标准贯入试验锤击数、轻型圆锥动力触探锤击数等）变异系数、标准值；

3 岩土参数建议值。

9.5.3 饱和砂土、粉土地震液化判别表应包括下列内容：

1 孔号、判别液化时采用的地下水位、液化判别深度、地震设防烈度；

2 饱和土标准贯入试验点深度及对应的黏粒含量百分率，标准贯入锤击数基准值、试验点对应的临界值、实测值；

3 试验点土层单位土层厚度对应的层位影响权函数值、单孔液化指数等。

房屋建筑和市政基础设施工程勘察文件编制深度规定

（2010年版）

条文说明

目　次

1 总 则

1.0.2 广义的勘察文件指勘察过程中形成的各种文件，包括勘察合同、与相关单位形成的往来文件、勘察纲要、野外钻探测试报告、室内试验报告、勘察报告等。勘察纲要是勘察单位开展工作的重要依据，勘察报告是勘察工作成果性文件，其内容包含了勘察过程中形成的主要技术性文件。

1.0.3 城市轨道交通也属于市政工程，由于未包括在传统市政工程范围（如市政勘察规范未包括城市轨道交通），且有相对独立的标准（城市轨道交通岩土工程勘察规范）和特点（大部分工程在地下，路基工程还涉及铁路标准），本规定单独列出。

1.0.4 根据工程建设程序，勘察划分为可行性研究勘察阶段、初步勘察阶段、详细勘察阶段（也称施工图设计勘察阶段）及施工勘察阶段。

2 基本规定

2.0.1 我国现行标准体系包括国家标准、行业标准、地方标准，其内容有交叉重复，有些地方同样内容差异较大，使用时应考虑以下几个方面：

1 依据的技术标准的适用范围；

2 依据的技术标准与结构设计依据标准的协调性；

3 满足勘察任务书指定的技术标准；

4 如对土的分类、定名，土工试验特性指标的划分，液化判定公式，承载力确定等各标准间有差异的部分，在相应部分进一步明确。

2.0.2 勘察纲要是勘察文件的重要组成部分。

2.0.3 原始资料（包括勘探、原位测试、室内试验等）是岩土工程评价的基础。在进行分析评价前，应对其进行分析，去伪存真，并通过综合分析，提供合格的成果资料。文中勘察报告与岩土工程勘察报告同义。

2.0.4 详细勘察阶段勘察报告是施工图设计重要依据。

2.0.5 单位技术负责人一般指单位总工程师。相关责任人姓名（打印）及签章便于辨认，又可明确责任。

2.0.7 附件一般是有工程相关的重要支持性资料，根据工程需要选择。主要包括区域稳定性调查与评价专题报告、工程地质测绘专题报告、遥感解译报告、工程物探专题报告、专门水文地质勘察报告、地震安全性评价报告、场地地质灾害危险性评估报告、其他专门试验或专题研究报告、重要的审查报告或审查会（鉴定会）纪要、任务委托书（或勘察合同）、勘察纲要、重要函电等。

3 勘察纲要

3.0.1 勘察纲要是工程勘察工作的基础文件，通过技术交底等形式贯彻于勘察工作全过程。

3.0.4 勘察纲要文字部分包括的内容及详细程度应视具体工程情况及勘察要求确定。拟建工程相关资料详细程度对下一步工作影响较大，需重点叙述。

1 场地环境包括场地地形、地貌，周围已有工程建筑、地下管线设施情况及其与拟建工程的关系，尤其是地下管线设施对勘察工作的影响；

2 勘察任务要求一般由建设及设计单位提出，有特殊勘察要求时应详细说明；

3 当相关技术标准、规范之间有差异时，应说明本次勘察执行的原则；

4 质量保证措施包括外业勘察、室内试验、报告编制等环节，安全保证措施包括外业勘察中易发生危及人身、财产安全环节；

5 市政工程、城市轨道交通工程勘察工作量的布置应考虑不同的线路敷设方式、结构类型、施工方法；

6 勘察等级为乙（二）级和丙（三）级的工程，勘察纲要可适当简化。

3.0.7 导致调整或编制补充勘察纲要的情况较多，主要包括：

1 实际勘探揭示的岩土条件与预测情况差异较大，不能满足评价要求，需调整勘察方案；

2 勘探揭示场地岩土条件变化大，需要增加勘探点，以进一步查明其变化规律；

3 设计变更导致原勘察工作量不能满足设计要求，或勘探点、线发生较大变动。

4 房屋建筑工程

4.2 工程与勘察工作概况

4.2.1 习惯上工程与勘察工作概况也称作前言、工程概况等。

4.2.2 工程概况应重点反映工程特性的内容。

4.2.4 高程引测点号宜采用绝对高程。当采用假定高程时，假定基准点应具有一定稳定性、可追溯性，标志应醒目，并在报告书中说明。

实践中标高多用于设计，高程多用于地质、测绘，二者均可使用。

4.3 场地环境与工程地质条件

4.3.1 当工程简单且区域地质构造、水文对工程无影响且设计无要求时，区域地质构造、气象、水文相关内容可简化或简略。

4.3.2 岩土的定名、分类不同标准间有一定的差异。

4.4 岩土参数统计

4.4.2 本条列举了常用的统计参数，实际工作中应根据工程需要、标准和设计要求确定。

4.4.3 同一岩土层、同一指标，由于取样方法、试验方法不同也应分别统计。

4.5 岩土工程分析评价

4.5.2 详细勘察阶段场地稳定性、适宜性评价主要是在前期勘察的基础上进行，重点是有针对性地提出处理措施的建议。

4.6 结论与建议

4.6.1 遗留问题及相关处置建议包括因场地原因未完成项目及钻探中出现问题处理与解决建议、需要专项调查项目、验槽等说明。

5 市政工程

5.1 一般规定

5.1.2 垃圾填埋工程包括新建、改（扩）建的生活垃圾卫生填埋场、垃圾处理厂（焚烧厂、生物处理厂和综合处理厂）及其配套转运站等处理设施。给水排水场站工程勘察报告要求同房屋建筑工程。本章未包括隧道工程，相应要求见本规定第6章。

5.4 岩土参数统计

5.4.1 市政工程有时要求提供地基基床系数、侧压力系数等。

5.5 岩土工程分析评价

5.5.9 填埋场库区和坝址岩土工程勘察评价的重点是场地和地基稳定、渗漏和环境问题，评价时应注意以下方面：

1 地震、滑坡、泥石流等不良地质作用的危害，断层、岩溶的渗漏影响；

2 大气降水、暴雨、洪水等资料对垃圾填埋工程的影响；

3 场地水文地质条件的评价及相关处理建议等。

6 城市轨道交通工程

6.1 一般规定

6.1.1 隧道包括地下区间隧道、联络线、折返线、渡线、出入线、联络通道、通风道等；车站包括地下车站、高架车站和地面车站以及出入口、通风道、风亭、过街天桥、地下通道等附属工程；路基包括一般路基、高路堤、深路堑及支挡建筑物；高架线路包括高架桥、跨线桥、跨河桥；车辆段和停车场包括站场线路、地面建筑（列检库、办公楼等），以及变电站、供水井等附属设施。

6.1.2 城市轨道交通工程车站交错、隧道在重要工程下面穿行等情况下，很多钻孔无法完成。在这种情况下，通过适当方法（包括利用前期、邻近工程资料、其他测试、调查方法）进行评价尤为重要。利用前期资料时，应重视资料间的衔接问题（包括地层编号、分层、数据等），并考虑已有工程、时间跨度的影响。

6.2 工程与勘察工作概况

6.2.2 城市轨道交通工程概况应考虑线路类型、车站类型、施工方法等，施工方法对勘察要求影响明显，应予重视。

6.2.5 钻孔完成情况对城市轨道交通工程尤其重要，说明时应注意以下几点：

1 详细说明钻孔的回填情况、回填的方法及材料；

2 当有钻具或其他外来物遗留在钻孔内时，应详细说明孔号及物体所处的部位，并在剖面图中标示出来；

3 对尚不具备现场勘察条件的勘探点，应详细说明孔号及原因；

4　对与设计孔位位置不符的钻孔，应详细说明原因及移动的方向、距离。

6.3　场地环境与工程地质条件

6.3.1　城市轨道交通工程场地环境与工程地质条件应根据工程情况有针对性地阐述。地下工程应重视第四纪地层中含水透镜体、薄层及岩层裂隙水等水文地质条件的调查、描述、评价工作。岩土施工工程分级与《地下铁道、轻轨交通岩土工程勘察规范》GB 50307—1999中岩土可挖性分级同义。

6.4　岩土参数统计

6.4.1　城市轨道交通工程有时要求提供岩土参数岩石抗剪、抗拉强度、泊松比，地基基床系数、侧压力系数、电阻率、动弹性模量及热物理指标等。

7 特殊场地

7.2 特殊性岩土

7.2.1 湿陷性土应结合建筑物功能、荷载和结构特点对场地和地基进行评价；湿陷系数、自重湿陷系数、湿陷起始压力均为黄土场地的主要岩土参数，详细勘察阶段宜将上述参数绘制在随深度变化的曲线图上，并进行相关分析；湿陷性土地基处理的目的主要有两个方面，其一是消除湿陷性，其二是提高地基土的承载力，应根据场地岩土条件提出不同的地基处理方案；采用桩基础可消除主体工程安全问题，但仍存在室外道路、管线地基的湿陷性问题；湿陷性土场地基坑和边坡具有特殊的岩土性质，应予重视，并提供必要的设计参数。

7.2.2 红黏土的厚度变化很大，与其形成的母岩和古地形有关，应查明其厚度的变化、下伏基岩岩性及其是否存在岩溶，岩溶在水平和垂直方向上的分布；红黏土具有上硬下软、表面收缩和裂隙发育的特点，应注意地基的均匀性；水文地质条件对红黏土评价有很大影响；红黏土地区存在特有的地裂现象，长度可达数百米，深度可达几米，易造成建筑物的破坏。

7.2.3 薄层理与夹砂层分布对软土的排水固结条件、沉降速率、强度增长等起关键作用；软土的固结历史，状态（欠固结、正常固结或超固结），对变形影响大；注意不均匀沉降和减少不均匀沉降的措施，当存在大面积地面堆载时，必须考虑其对邻近建筑物的影响。

7.2.4 混合土形成原因、成分、组成均较复杂，应根据其成分、工程特性结合工程情况进行评价。

7.2.5 除了控制质量的压实填土外，一般说来，填土的成分比较复杂，均匀性差，厚度变化大，因此，对大面积填土的勘察主要是查明填土的成分、分布规律和堆积时间，由于对大部分填土无法采取到Ⅰ级土样，确定其均匀性和承载力主要通过现场原位试验方法；当填土厚度不大且不做持力层时，其工作可适当简化；有机质、有毒元素、有害气体的影响。

7.2.6 多年冻土的融沉对建筑物影响大，勘察时应进行融沉性分级；多年冻土具有特殊的性质，试样采取、搬运、贮存、试验过程中应采用措施，避免融化，物理力学和热学性质指标应根据现场情况和设计要求。

7.2.7 膨胀率和收缩系数是计算变形的两大主要指标，而在确定基础型式和基底压力时，应重视膨胀力指标；膨胀岩土的承载力会随含水量的增加而降低；采用桩基础时，应考虑膨胀土的胀切力。

7.2.8 盐渍土由于含盐性质及含盐量的不同，土的工程特性各异，地域性强，目前尚不具备以土工试验指标与载荷试验参数建立关系的条件，载荷试验是获取盐渍土地基承载力的基本方法；盐渍土的岩土评价主要包括溶陷性、盐胀性和腐蚀性，根据其不同特性提出地基处理建议。

7.2.9 风化岩和残积土地区勘察的重点是地基均匀性、压缩层范围内有无下伏基岩和孤石、破碎带和软弱夹层分布，它们对地基稳定性评价和桩基础设计和施工有重要影响。

7.2.10～11 污染土的勘察内容与其他特殊土的勘察不同，强调根据任务要求进行（如土壤和地下水环境调查等）。

7.3 边坡工程

7.3.1 本条是对边坡勘察报告的基本要求。对于土质边坡应着重查明覆盖层厚度、基岩面的形态和坡度；岩质边坡勘察时应重点查明岩体结构面的类型、产状、发育程度、组合关系和力学性质以及与临空面的关系。边坡勘察报告应做到地质条件清楚、稳定性结论明确、参数取值合理、治理措施可行。

7.3.2 边坡稳定性评价应遵循以定性分析为主，以定量计算为辅助手段，进行综合评价的原则。定量计算应正确确定边坡的破坏模式，选择合理的稳定性验算方法。

岩土参数取值对于边坡稳定性验算与评价至关重要。岩土的抗剪强度通常是通过室内试验结合工程地质条件和地区经验确定。抗剪强度指标是动态的，会随着时间推移逐步降低。

7.4 不良地质作用和地质灾害

7.4.1 不良地质作用是工程建设前期勘察的主要工作。当无法避让或避让困难时，应在前期调查的基础上进行评价，提出防治措施。

7.4.2 岩溶的形成、发育与地层岩性、地质构造、水文地质条件关系密切；岩溶类型、形态、位置、大小、分布、充填情况和发育规律对工程有重要影响；土洞和地面塌陷对工程有直接影响，地面塌陷与人工降水也有较大关系。

7.4.3 滑坡的形成与场地地形、地貌，岩土层厚度、分布，当地水文、气象条件、水文地质条件等有很大关系；滑坡的类型、范围、规模等决定着对工程的危害性大小；滑坡重点要阐明滑体、滑带、滑床特征及其岩土物理力学性质；在进行滑坡稳定性分析时，应分析滑坡的破坏模式，确定计算方法，选取的剪切强度参数应与滑坡破坏条件相适应。

7.4.4 危岩和崩塌的形成与陡峭的地形地貌条件、岩石裂隙发育情况、裂隙的不利组合、降雨与地表水冲刷有关；人类活动如开挖、切坡常常引发崩塌的发生；危岩和崩塌应依据其形成条件及影响因素，进行稳定性分析与评价。

7.4.5 泥石流形成区的水源、固体物质的来源、流通区、堆积区情况，分析泥石流的形成条件是泥石流评价的基本因素。

7.4.6 采空区勘察应查明采空区的现状、形成情况地表变形情况、发展趋势，评价其对工程的危害性；采空区附近的抽水和排水情况及其对采空区稳定的影响。

7.4.7 地面沉降与第四纪堆积物中地下水开采、地下水位下降有关。调查场地地貌特征、第四纪堆积物组成、水文地质条件，特别是地下水开采和回灌层位、开采和回灌情况，地下水位降落漏斗及回灌漏斗的形成和发展过程。在调查地面建筑和构筑物受影响情况的基础上评价工程建设的适宜性。

7.4.8 地裂缝一般与地下水开采、地下水位下降、地面不均匀沉降有关，或者与新构造运动有关，因此应查明地裂缝分布规律、发展规律，分析地裂缝产生原因，评价对工程的危害。

7.4.9 在城市规划勘察或新建重大工程建设可行性研究选址勘察阶段，应根据搜集的区域构造地质研究资料，查明活动断裂的位置和与场地的距离关系，地质年代、产状，对断裂的活动性和工程分类作出评价，并说明对场地稳定性的影响。

8 场地和地基的地震效应

8.0.2 我国关于工程抗震方面的标准较多，对场地地震效应评价内容总体一致，但仍有差别，使用时应注意选择适宜的标准。岩土工程勘察场地和地基的地震效应评价采用的标准应与结构设计相一致，其评价成果应与抗震设计措施相匹配。

8.0.4 场地类别由于依据的规范不同，其判别结果会有差异，应用时应注意。

1 根据《建筑抗震设计规范》GB 50011 进行评价时，以场地计算深度（取覆盖层厚度和 20m 二者的小值）内土层等效剪切波速和场地覆盖层厚度为准；

2 城市轨道交通工程根据《铁路工程抗震设计规范》GB 50111 进行评价时，应以场地计算深度（取地面或一般冲刷线以下 25m，并不得小于基础底面以下 10m）内土层等效剪切波速为准；

3 市政管线工程根据《室外给水排水和燃气热力工程抗震设计规范》GB 50032 进行评价。其方法与《建筑抗震设计规范》GB 50011 一致；

4 市政道路、桥涵根据《公路工程抗震设计规范》JTJ 004—89 可采用定性和定量两种方法确定动力放大系数：定性划分应根据土层名称、土层的物理力学性质及承载力进行；定量划分应根据场地计算深度（取覆盖层厚度和 20m 二者的小值）内土的平均剪切模量或场地土的剪切波速、质量密度和分层厚度实测资料进行。

8.0.7 液化判别应注意以下几个方面：

1 同场地类别划分一样，各抗震标准判别深度有差异，判别公式也不尽相同，使用时应注意；

2　当初判不液化时不需进一步采用其他方法进行液化判别；

3　进一步液化判别时由于判别公式的地域、地层局限性，使用时应考虑其适宜性并宜采用多种方法综合判定。

8.0.8　采用标准贯入试验进行液化判别，应对标贯击数、黏粒含量进行分析，去伪存真，除去不具有代表性的数据。

9 图表

9.1 一般规定

9.1.2 下列图表可作文字部分的插图表：

1 拟建场地位置示意图等；

2 勘探点主要数据一览表；

3 物理力学试验指标统计表、建议值表；

4 其他统计表格。

9.1.4 随着计算机技术的发展，很多测试数据特别是过程数据以软盘等形式记录下来，打印并由操作人员、校（审）核人员签字，使文件具有可追溯性。

9.1.5 房屋建筑工程勘探点平面位置图也称作建筑物与勘探点平面位置图。

9.5 统计表

9.5.1 各类原位测试、岩土试验统计、岩土参数建议值可列入汇总表，也可单项或多项统计。统计表也可作为文字部分的插表。